sebastião nunes

um caso liquidado
(memórias e desvarios de um poeta inacabado)

design&ilustrações
gustavo piqueira

LOTE 42

síndrome do pânico

um caso liquidado
(memórias e desvarios de um poeta inacabado)

**venerandos dias
ou:
passos dias aguiar**

um caso

(memórias & desvarios de um poeta inacabado)

liqui
dado

introdução

Escrever é uma forma de terapia. Algumas vezes, imagino como todas as pessoas que não escrevem, compõem ou pintam podem dar um jeito de fugir à loucura, à melancolia e ao medo inerentes à condição humana.
Graham Greene

Durante os últimos cinquenta anos, isto é, desde que comecei a publicar, fui tentado a escrever um diário. Por vários motivos, o projeto nunca passou de algumas páginas de cada vez. Na maioria dos casos, só escrevia quando estava sob tensão extrema, dentro de minha flutuação quase maníaco-depressiva. Quando relia as páginas escritas nos dias anteriores, ficava envergonhado e esquecia o diário durante algum tempo, até que a tentação voltava.

De certo modo a ideia se concretizou, mas sob a forma de correspondência, principalmente com Sérgio Sant'Anna, a quem sempre usei como muro das lamentações. Exceto alguns períodos curtos de interrupção, nossas cartas em mão dupla atravessaram vinte e cinco anos revelando o que sonhamos e o que realizamos. Trata-se no entanto de uma mania, a da correspondência escrita, envelopada e postada no correio, que não consegui preservar. Talvez sua maior vantagem seja a do distanciamento: você não escreve como fala, não diz coisas totalmente impensadas e, quase sempre, relê o que escreveu, mesmo que seja para uma paixão recente ou para um amigo muito íntimo. É bastante provável que, nos próximos séculos, as pessoas voltem a escrever como falam, como acontecia na

Grécia antes de Herôdoto, o primeiro escritor *a escrever como se escreve*, já no século IV a.C. Como uma pessoa formada pela literatura, principalmente pela ficção, sempre preferi o silêncio à fala, sofrendo horrores toda vez que tenho de falar em público, principalmente se não conheço o público. Mas hoje todos falam o tempo todo pelos cotovelos, à sombra do rádio e da TV, de modo que me sinto um dos derradeiros representantes da cultura escrita, mesmo que isso não seja verdade, quer dizer: que a cultura escrita seja uma velha morrendo de velhice e de tédio. Apaixonado pela leitura lenta e curtida – música instrumental (com poucas exceções, as letras das músicas populares me irritam terrivelmente) ou suaves ruídos urbanos ao fundo – é como um representante dos dinossauros que me sinto. Certamente um daqueles rudes brontossauros, examinando tristemente a penúltima folha coméstivel da última árvore disponível, enquanto bem perto, extenuado pela fome e incapaz de qualquer gesto agressivo, ainda que decisivo para sua sobrevivência, agoniza um derradeiro tiranossauro com as costelas de fora.

Durante todo esse tempo, jamais telefonamos um para o outro, de forma que a própria voz de meu velho amigo carioca pareceria irreconhecível depois de tantos anos de contato escrito, não fosse a constância com que, durante nossa época de convívio em Belo Horizonte e depois no Rio, nos sentamos numa mesa de bar em longas discussões movidas a cerveja (eu) e uísque (ele), uma das quais, pelo menos, terminou num gelo desagradável de parte a parte, gelo que durou quase um ano e só foi quebrado por – exatamente! – uma carta. E já que falei em mesa de bar, minha ideia mais próxima de turismo é poder estar sentado num bar, em qualquer parte do mundo, bebericando lentamente uma cerveja, ouvindo todas aquelas falas incompreensíveis, deliciosa música instrumental, composta pelo mais criativo de todos os minimalistas – o acaso –, maior mesmo do que o admirável João Gaiola, com sua extraordinária capacidade para brincar e compor, ou vice-versa.

Há alguns dias resolvi reler *Pontos de Fuga*, do inglês Graham Greene, um dos escritores de meu cânone pessoal de mais ou menos cinquenta autores, um número redondo e totalmente infundado, mas que está me permitindo produzir um novo livro bem a meu gosto, e completamente diferente deste, que é de texto longo e esparramado, preguiçoso e sonolento, só que o outro também é bem a meu gosto, e exatamente o contrário deste: imagens, muitas imagens – e breves, muito breves citações, trechos capitais (para mim) de livros fundamentais (também para mim), às vezes completamente disparatados, inteiramente incompreensíveis exceto para mim mesmo, como este único trecho do *Hamlet*, cujo valor está em que, sempre que chego a este ponto, estou literalmente arrasado pela emoção represada ao longo de toda a peça, lida ou vista, no teatro ou no cinema:

[he dies]
HORATIO. Now cracks a noble heart. Good night, sweet prince;
And flights of angels sing thee to thy rest!
Why does the drum come hither?

Ou o curtíssimo diálogo na "folha de rosto" dedicada a Carlos Zéfiro, autor de quem só recentemente soubemos alguma coisa, pois, pequeno funcionário público, editando minguados cadernos de historietas em quadrinho altamente eróticas, teve de se disfarçar sob pseudônimo durante toda a vida para nos povoar a imaginação de maravilhosas sacanagens:

Inflexivelmente, fui empurrando o pênis no ânus de Dilma, conseguindo ir até o fim.
– Viu, Dilma? Já entrou tudo, tudinho!
– No princípio doeu, mas agora está bom!

Junto com Greene e Zéfiro, lá estão, por exemplo, Simenon, Charles Bukowski, William Saroyan (quem se lembra dele?) e nosso Millôr Fernandes, que alguns considerarão menores como escritores, embora para mim sejam da maior importância e tenham contribuído, tanto quanto Kafka, Graciliano Ramos ou Joyce, para a construção de minha obra, se é que o punhado de livros que publiquei por conta própria pode ser considerado uma obra. Esse livro canônico, cujo título deverá ser *Livro de Rostos*, pois é essencialmente constituído de folhas de rosto, com apenas duas páginas frente e verso por autor, num total de umas cem páginas, não é de forma alguma inspirado em *O Cânone Ocidental*, de Harold Bloom, que não li nem pretendo ler, pelo menos nos próximos anos, mas em Moacy Cirne que, a propósito de Bloom e de sua intensa papagaiação pelos nossos doutores e professores universitários — sempre dispostos a usarem o pré-digerido para repensarem o já pensado —, resolveu criar seu próprio cânone e publicá-lo em seu guerrilheiro *Balaio Incomun*.

E foi exatamente relendo Greene que me ocorreu a ideia de escrever uma espécie de autobiografia, da única maneira que imagino possível um livro de memórias: linearmente, sem nada de experimental, ou seja, exatamente o contrário do que fiz durante toda a vida. Não se trata mais de fazer literatura, minha senhora, mas de relatar fatos, lembranças e problemas, principalmente problemas, com o máximo de sinceridade possível, e nisso pelo menos posso ser diferente. Imagino que tal livro funcione, com todos os outros, como mais uma sessão de exorcismo de meus demônios que, para me tentarem, vestiram as mais variadas fantasias. Mesmo esquecendo o velho demônio do pecado original de nossa formação cristã-judaica, que durante muitos anos me acordou toda manhã, invariavelmente, com o gosto do fracasso na boca e o peso da culpa na cabeça, ainda existe muita humilhação e conflito a resolver. Por exemplo, o preconceito racial, que me roubou o gosto da convivência pacífica com outras crianças e adolescentes, até que os crioulos cariocas de morro – que chamavam as *buclames* de "vacas" – me mostraram minha idiotice. Mas, então, eu já passara dos trinta anos e estava marcado como todos os marginais de antigamente, dos ladrões às feiticeiras e às putas, com o ferro em brasa da inferioridade racial, marca vergonhosa e irremovível. E a morte, com seu brilho escandaloso, com sua buceta escancarada e desdentada, mastigando cobras vivas com as gengivas sangrentas, saltando de repente diante de mim, a qualquer hora e em qualquer lugar, me apontando com um caralho terminado em cruz, e fazendo disparar o coração, no que mais tarde reconheci os termos médicos taquicardia e *Síndrome do Pânico*, palavras pequenas demais e vazias demais para tanto terror. O material para este livro me tinha chegado às mãos alguns dias antes, quando preparei, durante uma penosa semana de pesquisa em papéis dispersos e caóticos, uma bibliografia, uma cronologia e um depoimento a pedido de Ilza Matias de Souza, professora de literatura em Natal, que acabou desistindo de um livro sobre meu trabalho, dentro de uma série chamada *Encontros com Escritores Mineiros*, e dos quais suponho seria o quarto a merecer tal honraria. Por que não, já que vou me tornando um pouco honorável, e a partir dessa *miséria crítica* (obrigado, Jomard Muniz de Britto), uma biografia clara, acessível e principalmente interessante? Por que não, já que tantos escritores, espertalhões ou bem-intencionados, escrevem confissões falsas e depoimentos mentirosos para enganar trouxas e ganhar reputação com a ingenuidade alheia? Qualquer que seja a resposta do leitor, a minha está num curto trecho de outro escritor menor, Howard Fast:

> **Todos os homens estão convencidos de que têm talento para duas coisas que não implicam nem em preparo nem em estudo: escrever um livro e comandar um exército. E há motivo para isso, em vista do número surpreendente de idiotas que fazem ambas as coisas.**

Havia sem dúvida um problema: boa parte dos meus companheiros de geração – no sentido estritamente cronológico

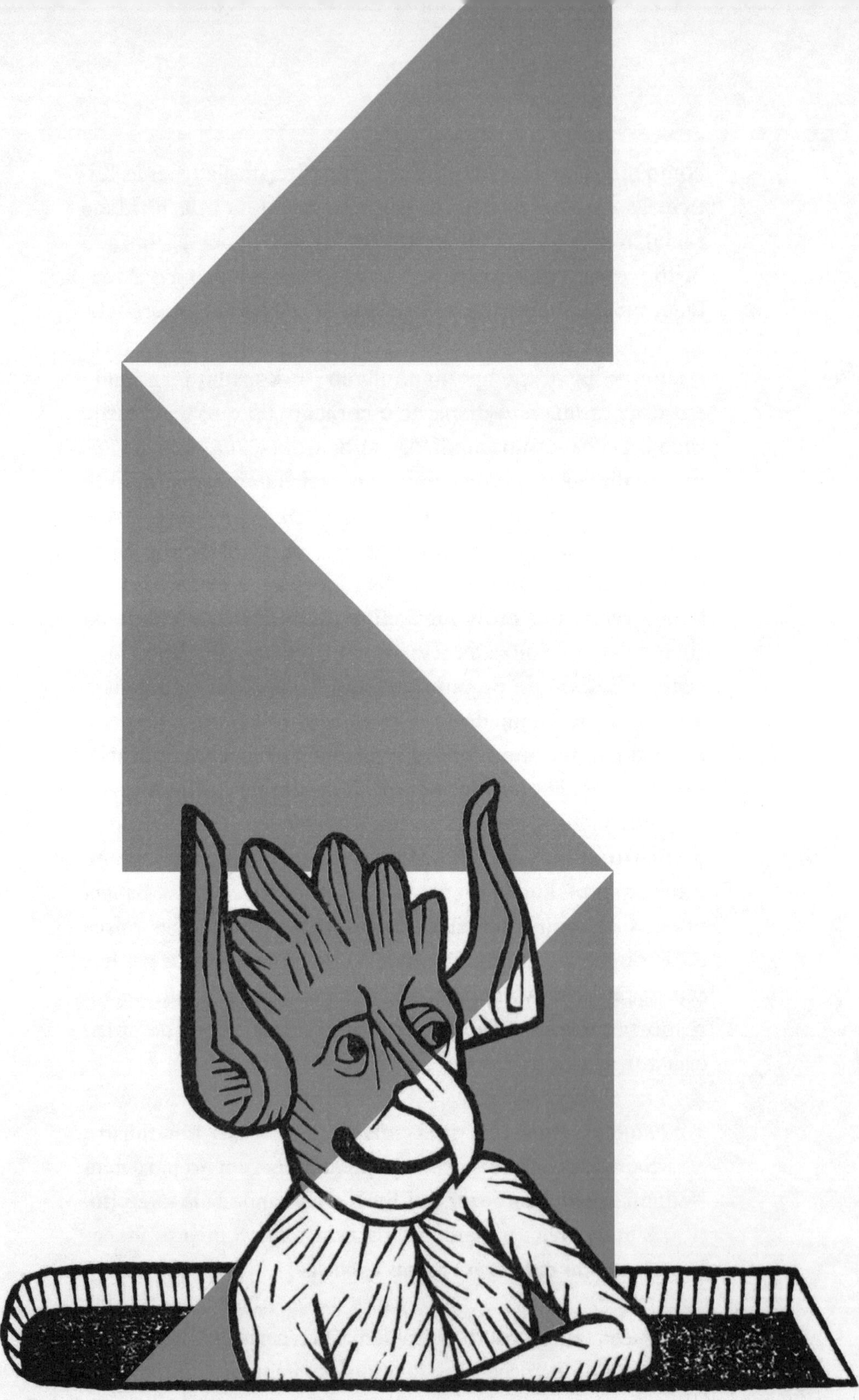

– e todos os que de uma forma ou de outra optaram pelo engajamento político radical durante as décadas de 1960/70, escreveram, bem ou mal, livros de memórias. Durante boa parte das décadas seguintes, as livrarias foram atulhadas com todo o tipo de relato autobiográfico que, por um lado, ajudaram a sustentar a luta pela utópica redemocratização do país e, por outro lado, inibiram aqueles que em algum momento pensaram em qualquer outro tipo de relato pessoal, como os escritores e seu trabalho menor, mais lento e infinitamente menos interessante. Sérgio Sant'Anna, com *Um Romance de Geração*, saltou com sucesso o obstáculo, mas Luiz Vilela, com *Os Novos*, revelou que o romancista não está à altura do contista. Humberto Werneck, em *O Desatino da Rapaziada*, é jornalista demais, cita gente demais, de modo que seu livro parece antes um manual para agradar amigos que um estudo de duas ou três gerações de intelectuais. Muitas vezes imaginei conseguir uma editora disposta a lançar uma edição condensada do vastíssimo *Diário de um Pequeno Burguês*, de Luís Gonzaga Vieira, que esmiuçou – e talvez continue esmiuçando – seus próprios conflitos e os conflitos de nossa turma, se posso dizer assim, devagar e impiedosamente. Nada da escrita graúda dos memorialistas políticos mas, minuciosamente relatadas e sem economia de papel, as angústias de uma geração de escritores que viveu entre os delírios dos anos 1960 e a morna estupidez dos tempos de ditadura (a militar, depois de 1964, e a inclâmica, a partir de 1970). Estupidez que, se não se trata apenas da opinião de um homem cansado do eterno retorno, permanece como a marca definitiva de nosso tempo, o tempo da tevê como máquina de fazer videotários, e da grande imprensa em geral como lavagem cerebral permanente. Pelo que li daquele diário, e pelo menos durante os dez anos de convivência íntima com Vieira (de 1967 a 1978), suponho que esse seja talvez um livro definitivo sobre quem somos, de onde viemos e para onde vamos – escrito em perplexidade e *in progress*.

Voltando aos escritores menores, me lembro de que foi lendo uma espécie de enciclopédia para jovens chamada *Tesouro da Juventude*, durante longas noites na biblioteca pública de Montes Claros, entre os doze e os catorze anos, que comecei a afiar as garras para o que, hoje em dia, encaro com uma certa desconfiança: essa tal de poesia, um ninho de vespas perigosíssimas, onde mais que talento predominam vaidade e megalomania, pairando acima de tudo uma dose tão escandalosa de babaquice que beira – se não ultrapassa – a vontade de se tornar divino, como os antigos imperadores romanos. Ainda bem que, depois de publicar uma dezena de livros e reuni-los em duas *antologias mamalucas*, saí de campo, e penso que de cabeça erguida. Aos cinquenta anos (em 1989) deixei de ser poeta por livre e espontânea vontade, já que poesia para mim nunca foi um caso de inspiração, mas de esforço duro e consciente, de sofrimento acima do necessário, de ficar sozinho boa parte da vida e — principalmente — de passar todo o tempo esfregando poemas pelo menos razoáveis no nariz da crítica, e até de amigos, sem que eles conseguissem enxergar o que eu estava mostrando, por mais amáveis e generosos que fossem em bilhetes, cartas e apoio moral ou financeiro.

Hoje sei que *errei* em pelo menos dois pontos fundamentais. O primeiro, foi ter exibido sem reservas meu lado escatológico, incluindo toneladas de palavrões que, quando publiquei os trabalhos mais carregados (entre 1970 e 1983), ainda eram vistos com desdém pelos poetas, pela crítica e pelos resenhistas de jornal. Nessa época, e de certa forma até hoje, poesia é uma coisa limpa, elevada, erudita, coisa de intelectual bem posto na vida. Humor, sim, mas de salão. Grossura, sim, mas de sacristia. Erotismo, sim, mas *en passant*. Nos poetas mais velhos, nem pensar em palavrão. Na minha geração de amplo espectro, raríssimas vezes soa um cu ou um caralho, exceto em Glauco Mattoso, sempre um intelectual respeitável mesmo na maior grossura, e que por isso também sempre foi olhado de banda. E, naturalmente, palavrões deitam e rolam na dita poesia marginal, mas agora completamente desprovidos de humor, de sutileza ou mesmo de poesia, inclusive na poesia feminina, com sua obviedade em relação à transa, à trepada pura e simples, cheia de ais e uis, como se fossem colombinas descobrindo o Américo. Acho importante lembrar que, quando a poesia marginal surgiu, em meados dos 1970, eu já estava na estrada havia uns dez anos, e nunca tive qualquer ligação com o movimento. Voltando à *minha* geração, o que sempre me irritou em Leminski, por exemplo, é sua preocupação com o efeito. Suponho que ele nunca tenha escrito um poema sem o pensamento voltado para Augusto ou Haroldo de Campos, como um muçulmano para Meca. Durante toda a sua interpretação do papel de menino-prodígio-filho-dos--concretistas e, depois, de afilhado da mídia, penso que sua maior preocupação foi a bênção dos santos de seu altar, jamais o poema. No entanto, sempre considerei palavrão uma coisa engraçadíssima, e nunca tive a menor intenção de *épater*. Palavrão, para mim, é uma questão de humor, e nada mais do que isso, principalmente se a gente pensar que boa parte de minha poesia é satírica. Aliás, meu jargão é o dos campos de futebol, com seus inumeráveis "puta que pariu", quando há perigo de gol, "porra", quando alguém te acerta a canela, e "vai tomar no cu", quando um adversário reclama de sua entrada dura.

Meu outro *erro* foi jamais ter me ligado a um grupo. Quando comecei a publicar poesia, os concretistas estavam velhos e burocráticos demais para mim (exceto Décio Pignatari, provocador tanto pela invenção quanto pela enormidade do nariz) e nunca me senti muito à vontade com o *poema processo*, embora sempre tenha mantido ótimas relações com eles, participando inclusive de exposições do grupo. Ainda hoje conservo a maior estima pelos três ou quatro mosqueteiros (o que não acontece em relação aos dois perpétuos irmãos concretistas, que respeito mas não admiro, exceto esteticamente), e sou um velho amigo e admirador de Moacy Cirne. A aventura do grupo processo, metendo-se pelo interior como se fossem bandeirantes poetas, levando a rusticidade de sua produção às pequenas cidades provincianas, foi no mínimo engraçada – o que já é muito –, e com uma boa dose de quixotismo, o

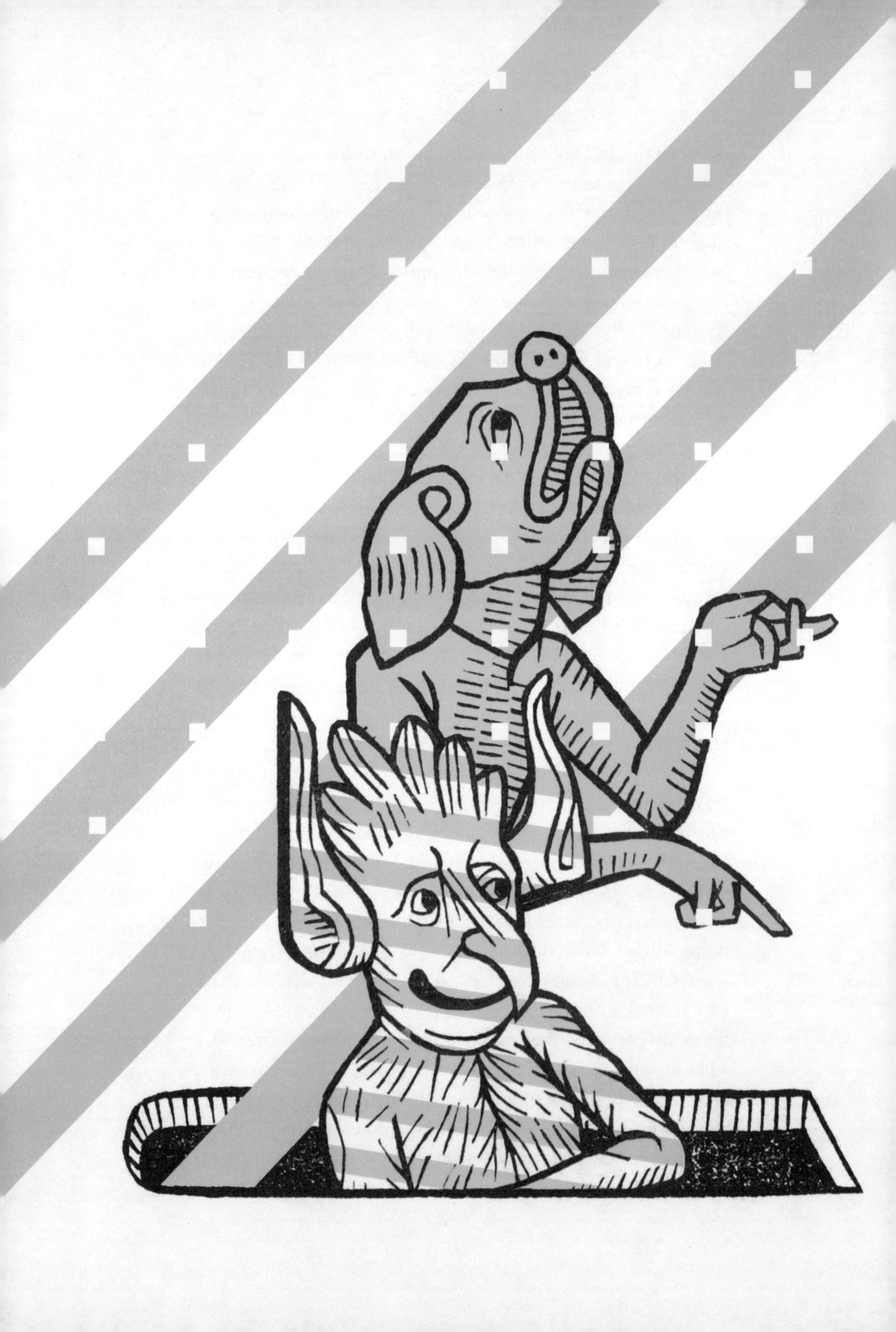

que sempre levei em conta, pois boa parte dos artistas de que mais gosto tem muito de quixotesco, e o desastre pessoal atrelado ao sucesso póstumo sempre me fascinou. De qualquer forma, digamos que foi uma questão de temperamento. Gosto de trabalhar sozinho, sem repartir angústias ou dúvidas, que me parece uma maneira fácil e *pouco estética* de resolver problemas estéticos. Digamos que, de novo, é o romantismo que vem à tona, mas não consigo separar criação literária de individualismo, e nunca vi com bons olhos os irmãos siameses do concretismo, produzindo juntos dois ou três poemas e, imediatamente, divulgando um manifesto erudito em sua defesa. Então saí de campo, e ainda bem que saí. Um pouco como Garrincha, uma saída meio torta, pois só há duas saídas definitivas: a morte — e a mudança de país (e de língua) para sempre.

Hoje, quando examino com perplexidade as velhas fotos de Drummond, já velho mas ainda posando de melancólico, com aquele jeito de Dante acima de qualquer suspeita, não posso deixar de me lembrar de seu namoro com uma velha do mesmo prédio, namoro às escondidas como coisa de criança ou de classe média, oculto até a morte. E me lembro de um seu depoimento, não me lembro onde, dizendo que às vezes, nas tardes de domingo, ficava diante da parede arrancando a pintura com as unhas, até sangrarem. Quanto sofrimento inútil, apenas para justificar o título de *maior poeta vivo do país*, forjado pelos babacas de sempre, os débeis mentais da grande imprensa. E por que um pobre João Cabral, também velho e acabado, tem de ser obrigado a dizer tanta tolice aos jornais, se repetindo interminavelmente, como um papagaio surdo e desmemoriado? Tudo muito limpo, tudo muito asseado e bem comportado para o meu gosto. E depois de uma vida longa e produtiva (estou pensando agora em Pedro Nava), depois de uma obra notável de memorialista, mais uma mentira em seus últimos dias, por causa de uma pequena sordidez que não haveria nada demais em revelar à mulher, aos amigos e – por que não? – à imprensa. O que há de errado em começar, depois de velho e muxibento, a dar o cu? Certamente a humilhação, por não ter escolhido o parceiro adequado, se é que existem parceiros adequados para os velhos, homo ou heterossexuais. E há ainda o caso de Manoel Bandeira, depois dos setenta, com o preconceito comum a tanto nordestino branco (penso em Graciliano Ramos e Humberto de Campos), querendo transar com uma negra, impedido pelos amigos que temiam um enfarte durante o ato, e insistindo que queria porque queria. E nunca conseguiu, o coitado.

Por mais que eu tenha sido romântico em minhas relações com a literatura, ou exatamente por isso mesmo, é com o maior desalento, e até com um certo nojo, que me volto hoje para o passado. Pois, o que vejo emergindo do fundo do pântano, entre lagartos pré-históricos, líquens e anêmonas? A sórdida aventura de um punhado de indivíduos histéricos agrupados em cachos, grudadinhos uns nos outros como bananas-nanicas. Para quem repassa a história das artes em seu conjunto, o que sobressai, quase sempre, são algumas individualidades acima da média e do tempo, lutando desesperadamente para subir à tona, mas sufocadas pelo cacho de basbaques. Trata-se, sem dúvida, de uma visão romântica da arte, mas sabemos que o romantismo, tanto quanto o sectarismo, é inerente à natureza humana, nada poderá acabar com eles – e eu prefiro o romantismo. De qualquer forma, quando se observa de perto qualquer movimento ou agrupamento de artistas, unidos em torno de uma teoria e de um *pensamento estético*, o que sobrenada com certeza é o autoritarismo de alguns, exatamente como em política ou qualquer outra atividade. Dominar, pelo poder intelectual ou pela força das armas, é tudo o que importa. No fundo, não faz diferença: a mesquinharia é a mesma.

Por falar nisso, quantos poetas tivemos no Brasil, em quinhentos anos de palavra escrita – da areia da praia ao microcomputador –, que mereçam o título? Gregório, no século XVII, Gonzaga, no XVIII, Gonçalves Dias e Cruz e Sousa no XIX, Augusto dos Anjos e Drummond no XX – e só. O modernismo, com toda a sua importância, quase só deu poetas menores, de Bandeira a Jorge de Lima, passando pelos Andrades paulistas, tocando em Cecília Meireles e desaguando em Murilo Mendes. O concretismo teria sido magnífico se tivesse aparecido *antes* do dadaísmo, que chupou até o osso, e tivesse um pouco mais de humor. João Cabral, nosso maior poeta da turma de 45, é apenas uma redondilha (com sotaque espanhol) na parede. Em termos de avareza estilística, só perde para os avarentos de teatro, de Plauto a Molière. Todo o resto, com o punhado de exceções que todos conhecem, é apenas um teatro de marionetes, um cortejo de fantasmas aturdidos, um festival de equívocos, em que se confunde falta de talento com contenção verbal, banalidade discursiva com prosa poética, e preguiça intelectual com poesia em pílulas. Me ocorre sempre o exemplo de Mário Faustino que, volta e meia, alguns amigos (dele) tentam ressuscitar. Mas ressuscitar o quê? Um apolíneo metido a dionisíaco, um erudito cercado de eruditos por todos os lados – e uma absolutamente secundária, para não dizer mais – ou menos – poesia. Me lembro de quando, influenciado pelos críticos de jornal – quando eu pensava que havia cultura em jornal – comprei *O Homem e sua Hora*. Li, reli, virei de cabeça para baixo, e, não sendo um ignorante completo, me senti como o rei de "A Roupa Nova do Rei". Seria eu mais estúpido do que pensava? Tão estúpido que não era capaz de enxergar a beleza se esfregando em meu nariz? Mas, enfim, é melhor parodiar, de cabeça baixa e olhos lacrimejantes: beleza, beleza, quantos crimes se cometem em seu nome.

E então me ocorre, já que o assunto é mesmo poesia, toda a miséria do pobre Augusto dos Anjos, morrendo aos vinte e nove anos num buraco do interior de Minas, "mais cansado que um octogenário", como escreveu o sábio e incorruptível Agripino Grieco, um dos raros críticos que existiram nesta terra, em que crítica significa compadrismo ou, rimando, pedantismo. E então, revolvendo o esterco em que se afunda a cultura literária no país, é possível perceber porque um jornalista de segundo time, escalando um time de ilustres oportunistas nas páginas de seu jornal, ganha mais em um mês do que um poeta em toda a sua vida. E porque outro tipo de ilustres, jogando no time da universidade, passa a vida como urubu, parasitando a carniça dos escritores. E não pensem que exagero quando falo de urubu. Trata-se da ave certa no caso, mesmo que os urubus não tenham a menor culpa pela comparação. Mortos os escritores, apuradas vida e obra no juízo da crítica, tornam-se propriedade dos professores, que não só ganham dinheiro e prestígio com a obra dos defuntos, com passam a vida em congressos e viagens, viagens e congressos destinados a, principescamente, discutir vida e obra de pobres coitados que, em vida, mal saíram de casa, espremidos entre a obra difícil e as dívidas impagáveis.

Voltando ao título deste livro, trata-se de apropriação consciente do título da tradução brasileira de *A Burn Out Case*, romance do citado Graham Greene. Naturalmente, a tradução tem pouco ou nada a ver com o título original, mas é um bom achado, considerando inclusive que traduzir *burn out*, no caso, é bastante complicado.

Finalmente, porque escrever uma autobiografia se o autor é pouco mais que absolutamente desconhecido? Em primeiro lugar, por satisfação pessoal e por vingança, pois é uma excelente modo de dizer o que penso e de meter o pau em quem acho que merece. Em segundo lugar, porque algumas das melhores coisas que já li foram memórias, correspondência ou diários. Ao contrário, algumas das piores foram ensaios críticos e teoria literária, que fui obrigado a engolir na fase de aprendizado, e enquanto não tinha maturidade para enxergar sozinho. Entre as melhores, vale mencionar os *Carnets*, de Camus, as *Memórias*, de Casanova, as *Cartas a Théo*, de Van Gogh, os *Diários*, de Tolstoi e Kafka, e até o *Diário Secreto*, de Humberto de Campos, documento riquíssimo sobre uma época extremamente confusa de nossa cultura, em que o modernismo procurava se afirmar e os conservadores tentavam manter o barco flutuando. Humberto de Campos, naturalmente, estava no barco que afundava, junto com

Coelho Neto e toda a Academia Brasileira de Letras. Quanto à crítica, é melhor deixar de lado. Não quero defender nada e muito menos explicar. Também nesse aspecto tive muita sorte. Fiz parte de uma geração que dava pouquíssima importância à crítica. Gente pouco mais velha que eu transformou-a em muleta para ajudar seus textos a se moverem melhor, já que poesia vagabunda não anda sem muleta. Até bons poetas caíram na necessidade de autodefesa que, no Brasil, chegou ao paroxismo com os epígonos do concretismo, mas foi lentamente desaparecendo, embora, como sempre, a persistência epigonal seja um fenômeno eterno e inextinguível. A birra que se tem generalizado ultimamente contra tal procedimento deve muito ao sectarismo dos concretistas que, para cada poema, produziam um calhamaço defensivo, no melhor estilo dos advogados criminalistas, quando precisam defender réus perigosos, usando os mais variados recursos, aliciando tantas testemunhas quanto possível e, até, cometendo algumas falcatruas psicológicas e estéticas.

Mas é preciso acabar com esse desabafo, mesmo que sempre seja preciso desabafar um pouco, o que, em *literatura séria*, com se diz, é impraticável. Pode-se explodir como uma bomba, à maneira de Ginsberg, mas é sempre preciso manter a linha, ainda que escrevendo o *Uivo*. Que linha? A estética. A disciplina do aprendiz. A prova de fogo do mestre. O atestado de óbito do esteta e da estética.

Só que de autobiografia este texto tem pouco ou nada, como se verá. Digamos que ele seja, acima de tudo, um punhado de divagações sobre alguns artistas e seu desesperado esforço para sobreviver neste mundo de débeis mentais.

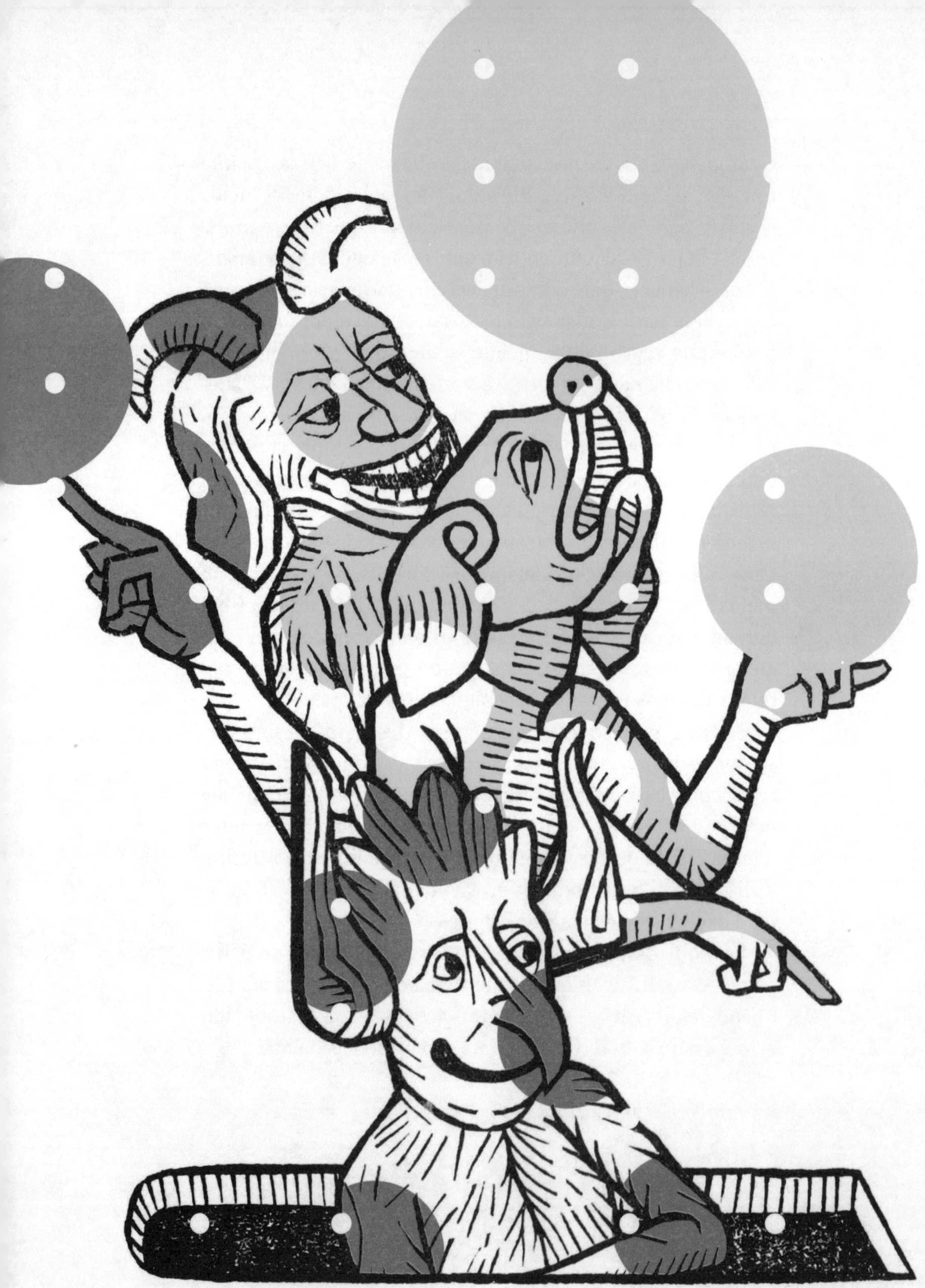

van gogh

A suposta loucura de Van Gogh não passa do desvario de um punhado de idiotas, incapazes de perceberem como alguém pode ser massacrado pela incompreensão. Nenhum ser humano, por mais superhumano que possa ser, consegue trabalhar anos e anos, todos os dias e todas as horas, na mesma coisa, sem explodir. Van Gogh não fez mais que explodir, depois de trabalhar todos os dias e todas as horas, durante anos e anos. Quase no fim da vida (suicidou-se aos trinta e sete anos), escreveu que se tornaria um bom pintor aos quarenta anos, se trabalhasse bastante. E tudo o que fez na vida foi isso: trabalhar bastante. Vivia com o dinheiro que Théo, seu irmão, lhe mandava, comendo mal, vivendo mal e quase odiando a pintura, que o obrigava a gastar a vida fazendo quadros que ninguém entendia, não comprava – e não queria nem de graça.

O mais espantoso disso tudo é que pudesse trabalhar tanto durante tantos anos, sem o apoio de ninguém, exceto o do irmão. Lucidez maior do que essa é quase impossível: a busca desesperada do Tao (ou da Iluminação, ou do Nirvana) no meio do silêncio mais absoluto. Nenhuma voz, nenhuma palavra. Mas meu grande problema nisso tudo é porque o irmão concedeu tanto, todos os meses, durante todos os anos. Claro que Théo morreu logo depois de Vincent, e bem mais novo. Mas será que isso explica tudo, ou pelos menos ilumina um pouco?

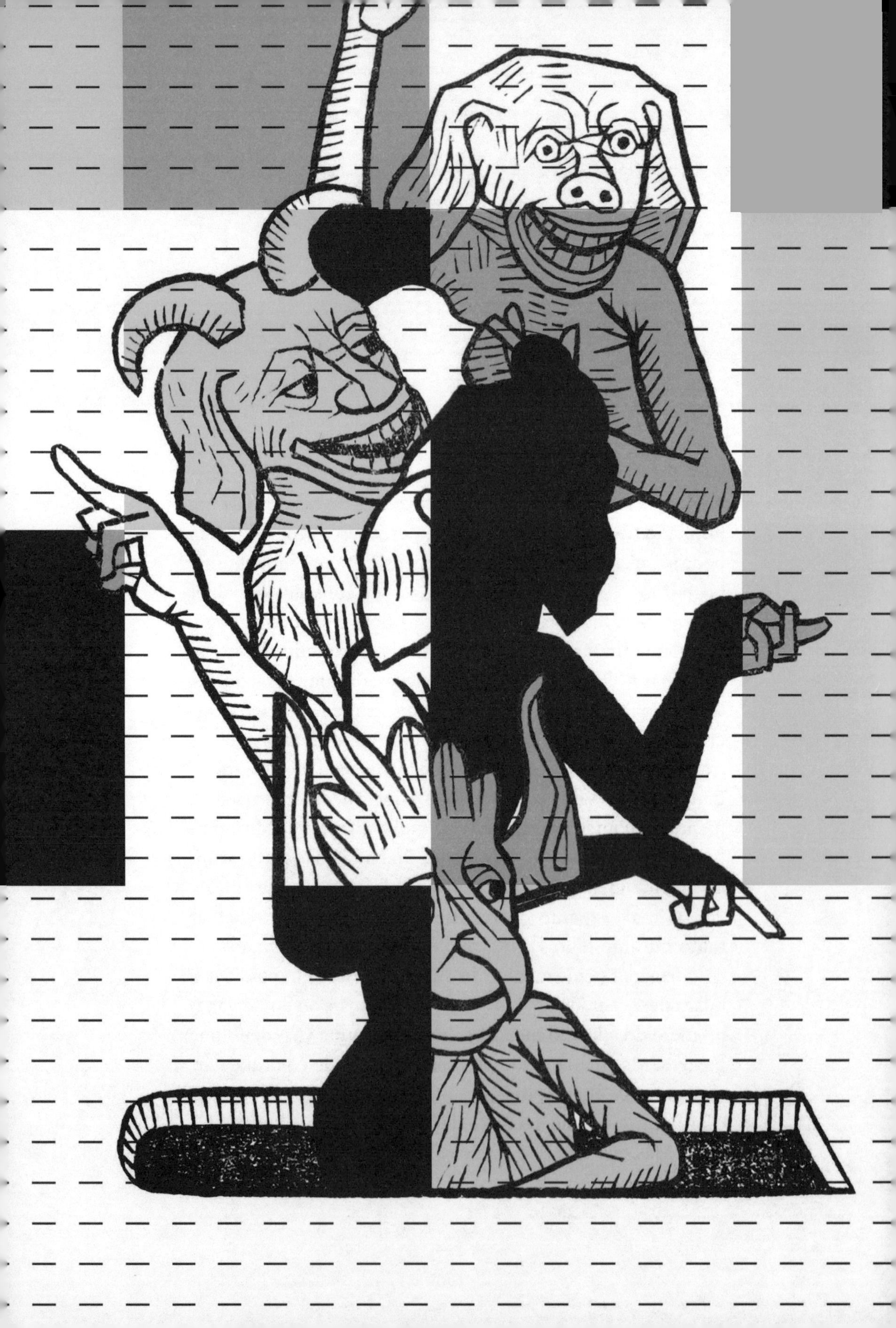

gauguin

Aos quarenta anos, um pai de família abandona mulher e filhos e some no mundo e vai fazer o que quer.

Nada de extraordinário nisso. Milhares de pais (e mães) de família fazem isso o tempo todo, porque não aguentam mais tanta aporrinhação. O que é inusitado é tal gesto numa idade em que a maioria das pessoas já está idiotizada pelo emprego, pelos filhos, pelo clube, pelos bens acumulados e pelos amigos. Nesse idade (eu diria que o fenômeno se manifesta bem antes, aos trinta anos, no máximo), quase todos os indivíduos que venham exercendo uma profissão a sério (no sentido de se dedicarem a trabalhar como um burro, puxar o saco dos superiores, ganhar o máximo que puderem e juntar o máximo de bugigangas possível), descobre o alcoolismo, no qual afogam noite adentro um certo mal-estar indefinível, um vermezinho que corrói seu sucesso, uma pontinha de surpresa diante do espelho e do envelhecimento que vai minando seu otimismo a toda prova.

E, na imensa maioria dos casos, nenhum consegue fazer o que quer.

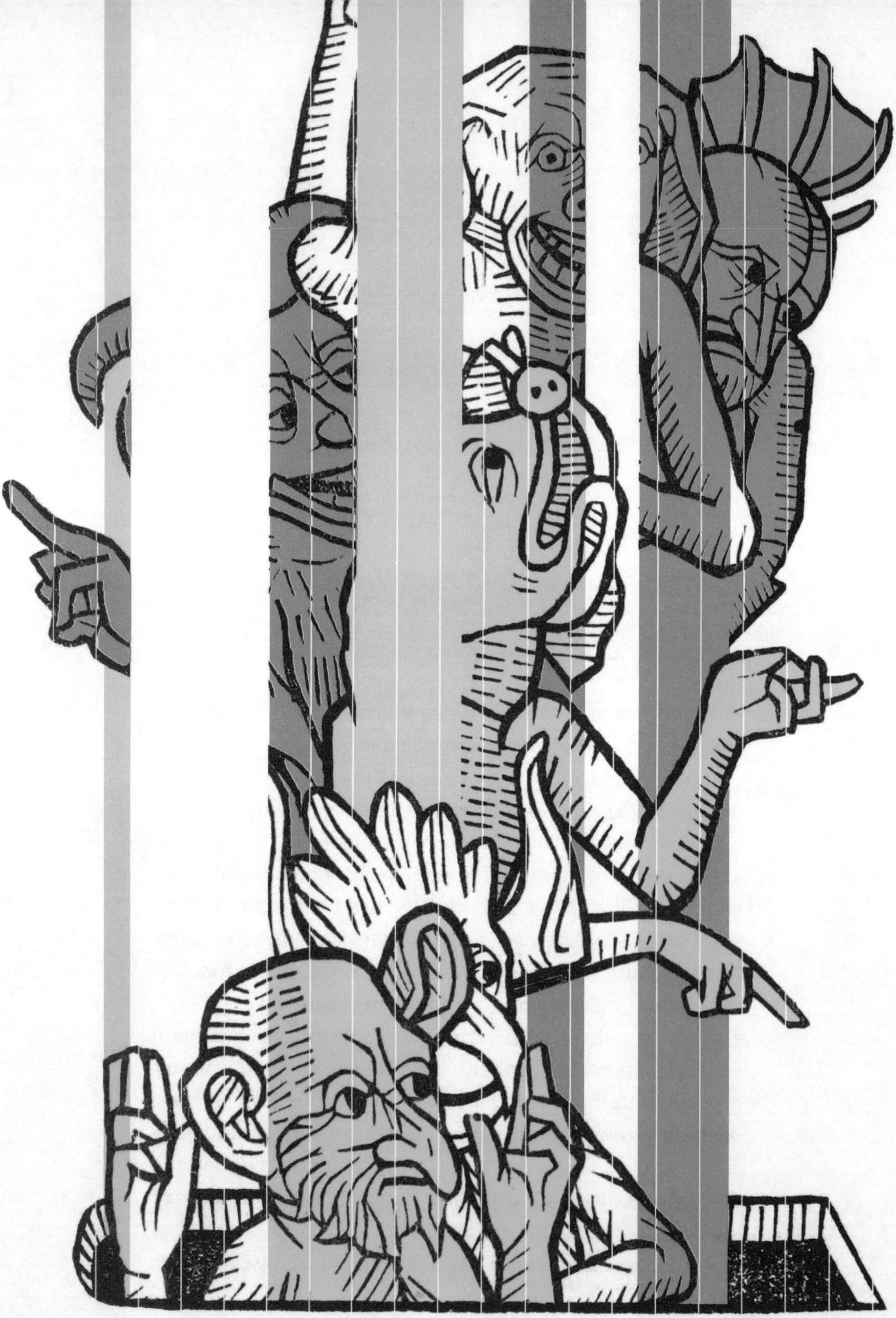

III a inocência castigada

Comecei a escrever como um carneiro bale: em vão. Continuei a escrever como um cego caminha: sob o silêncio dos videntes. Quando olho para trás, constato duas coisas: todos os caras que criaram algo de realmente novo se dedicaram de corpo e alma ao que fizeram. Estudaram muito, trabalharam muito, suaram muito, até esgotar todos os dejavismos e criar seu rumo e marcar com seu sinete de fogo cada pedaço de trabalho. Por outro lado – e sem dúvida dependendo da época – comeram o pão que o diabo amassou até afirmar seu trabalho, se não morreram antes.

Por outro lado, existiram e existem os raríssimos capazes de conciliar o dom da vidência com a clarividência dos espertos. Talvez seja o que se chama de oportunidade. Uma brecha única na muralha, durante alguns minutos de certo dia, que o sortudo encontra – e passa. Do outro lado, está feito.

Mas acho que os criadores inocentes, os que se deixam levar pelo puro instinto, não passam de carneiros cegos. Quando descobrem que baliram em vão, que tropeçaram em postes desnecessariamente, é tarde demais. Azar deles.

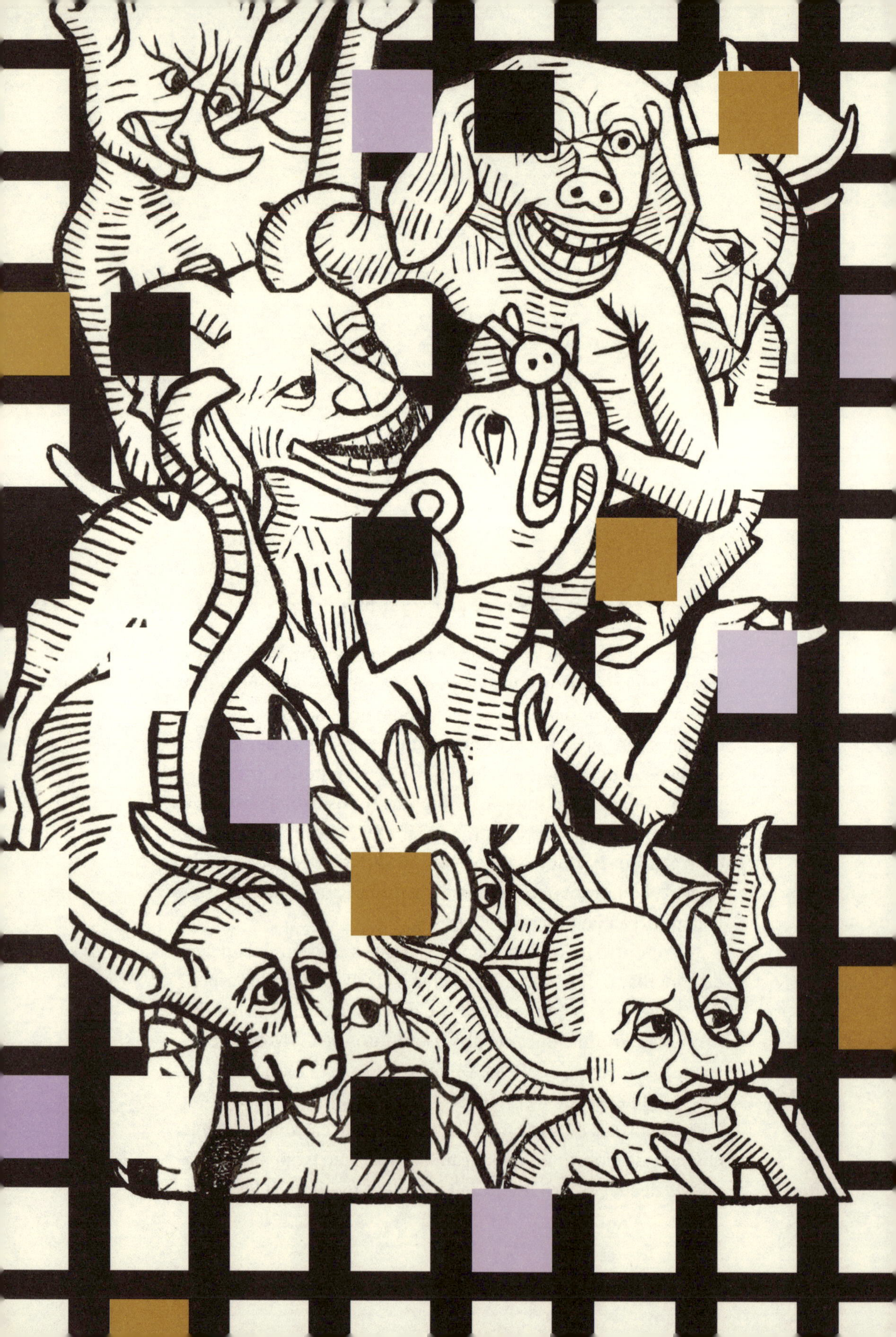

IV absurda beleza

Nenhum ser vivo é um pobre coitado. Pobres coitados são os mortos.

O velho sem pernas (tem apenas as coxas, envoltas em pedaços de pano sujo) e sem mãos (tem somente os braços, terminados por reentrâncias de pele endurecida como bisnagas de salame), esse velho sem pernas, que pede esmolas no centro da cidade, é infinitamente mais feliz que Napoleão Bonaparte e toda a sua magnífica corte imperial.

Mas só enquanto estiver vivo. O punhado de cinzas que foi Sócrates e foi Cervantes e foi Shakespeare e foi o dito Napoleão vale menos que bosta fresca de vaca ou que um punhado de esterco (bosta seca de vaca) de minha horta, menos que um pé de alface, ainda menos que uma lagarta verde triturando nas mandíbulas cinzentas alguns filamentos dessa mesma alface.

No entanto, pergunta-se, vale para quem essa vida, reduzida a implorar da caridade pública uns trocados, e depois a se arrastar para um cubículo fedorento numa favela miserável? Vale para quem experimenta as alegrias do velho mendigo, os pesadelos da alface e os orgasmos fulgurantes da lagarta.

Para quem mastiga um sanduiche de outro salame, com seu escandaloso sabor de carne e sal e pimenta e toucinho, a vertiginosa avidez das papilas gustativas em delírio e espanto. Pois não é? Toda vez que a boca se abre e, dentro dela, um pedaço de pão com carne é enfiado, que importa a falta de dentes? Poderosas gengivas, endurecidas por anos de esforço e tensão, apertam, moem, trituram, esmagam.

Toda a espantosa variedade da vida não quer outra coisa senão viver, verdade rara e absoluta (e rara porque absoluta) que abismou Darwin nos contrassensos da evolução.

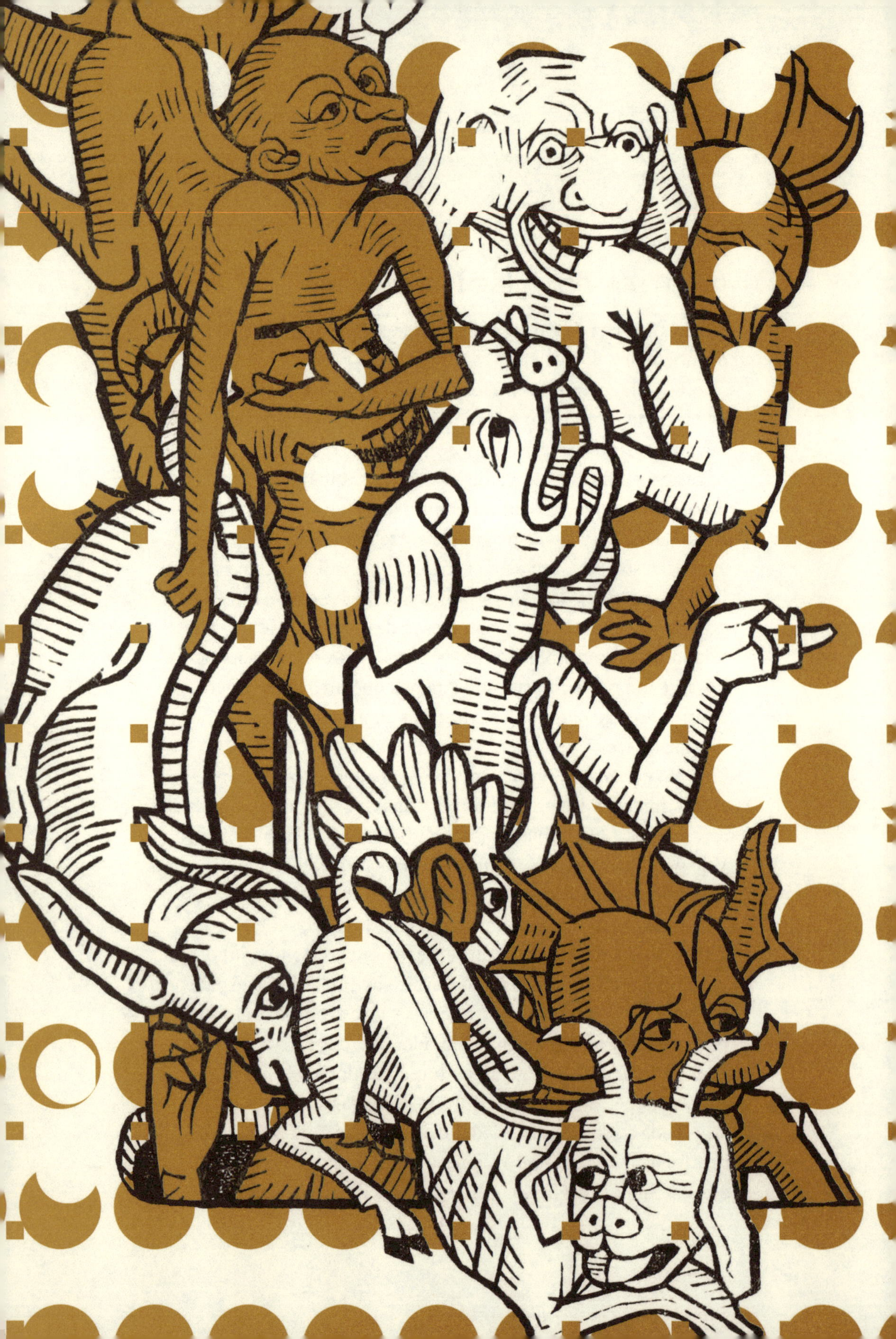

v anarquismo estoico

Socialista, anarquista, utópico. Sim, mas e daí? Quando um ser humano chega ao poder – por mais insignificante que seja esse poder –, torna-se invariavelmente um imbecil arrogante.

E nem ao menos prefiro os seres humanos entre os animais. Prefiro gatos e baratas.

Gatos, porque são bem mais estoicos em relação à vida. Não perdem tempo com coisas sérias. São todos zen-budistas: pequenos, brincam de esconder com o próprio rabo; adultos, meditam interminavelmente.

Baratas, porque chegaram à Terra via panspermia há comprovados três bilhões e quinhentos milhões de anos, portanto muito antes do homem, e certamente irão sobreviver a ele. O medo das mulheres às baratas é o mais puro e legítimo terror atávico: o pavor da espécie mais frágil condenada a desaparecer, para que a mais forte (no caso as baratas) prossigam sua evolução, evolução que está sendo e continuará a ser numa direção completamente diversa à do homem.

E quanto aos vegetais, seres também absolutamente superiores?

São bem mais razoáveis os agriões e as couves. Totalmente cínicos, encaram a vida com muito mais dignidade que os homens: quem nasce, morre, e não é preciso gritar e espernear por causa de um fato tão banal. Como se morrer fosse alguma novidade! É por isso que ninguém jamais viu um ramo de agrião espernear ao ser espetado por um garfo. Ou uma couve chorando quando é picada bem fininha. E quem foi que viu, desde que o mundo é mundo e as alfaces são alfaces, uma folha de alface soluçando porque está sendo regada com azeite e vai ser comida dentro de alguns segundos? Quem? Você aí, seu inclame, por acaso?

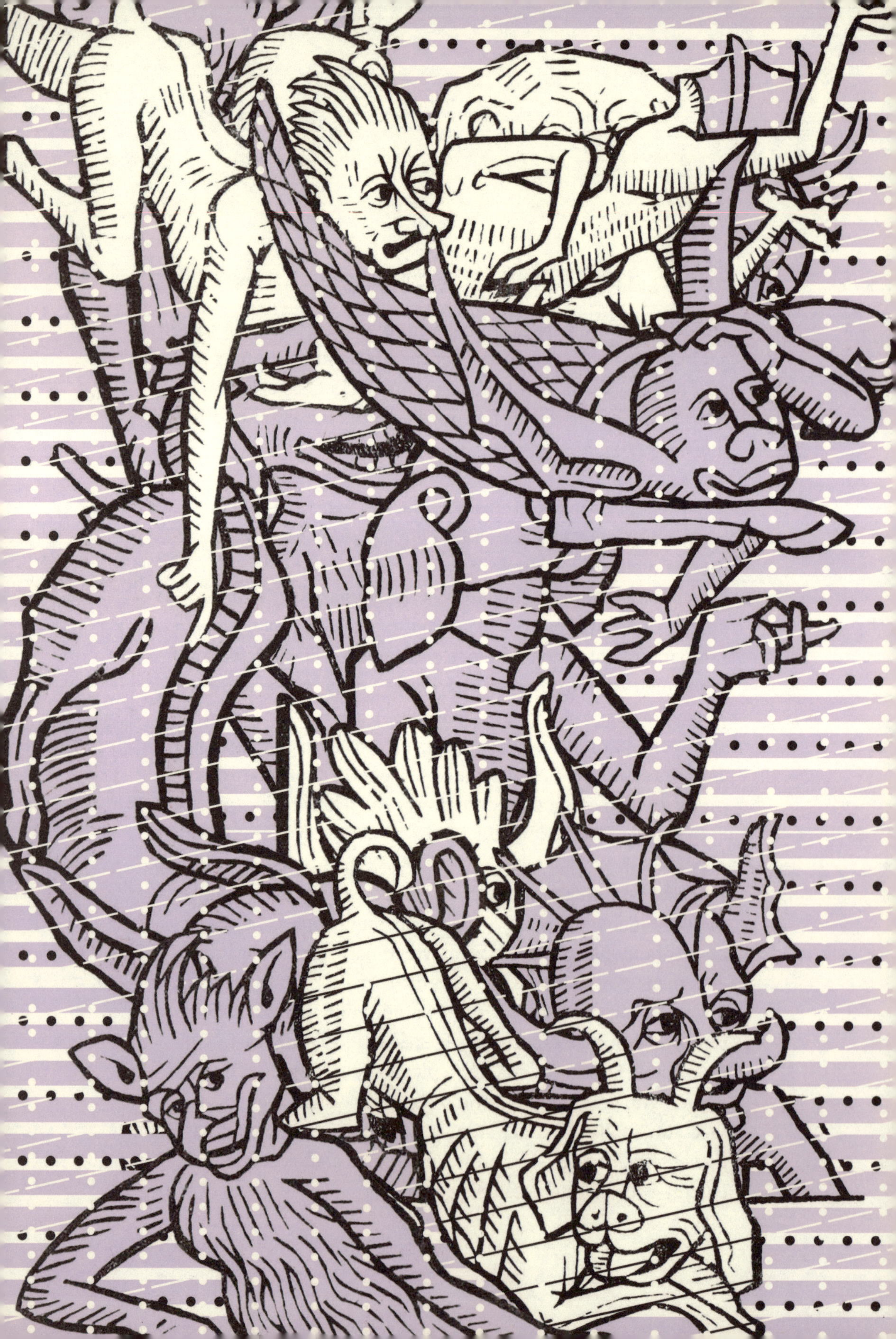

VI filosofices

Por mais uma hora de vida, oferecida no momento da morte, que tipo de barganha você toparia? (Responda rápido: se a morte não aceitar sua proposta, você será morto imediatamente.)

Ou: por quantos minutos a mais de vida você mataria um desconhecido?

Ou: por quanto tempo a mais de vida você mataria sua mãe de cinquenta anos? E sua mãe de sessenta anos? E sua mãe de setenta anos? E sua mãe de oitenta anos? E sua mãe de noventa anos? E seu pai de?

Ou: por mais uma semana de vida você cortaria uma perna? Um braço? O nariz? O pinto?

Ou: qual é o limite de infelicidade a partir do qual é melhor morrer?

Ou: qual o limite suportável de dor para continuar vivendo?

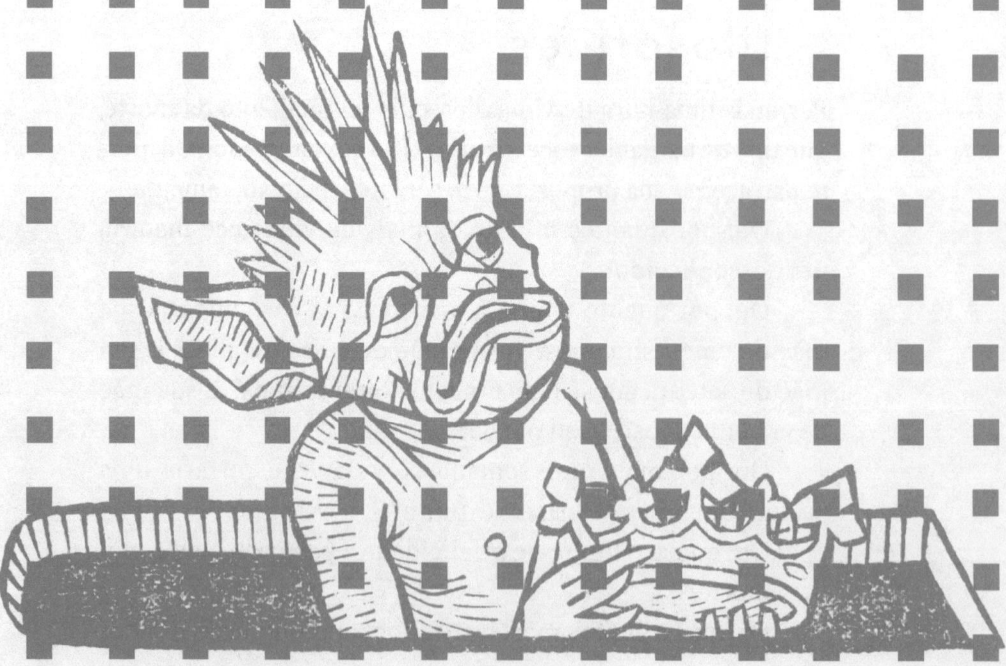

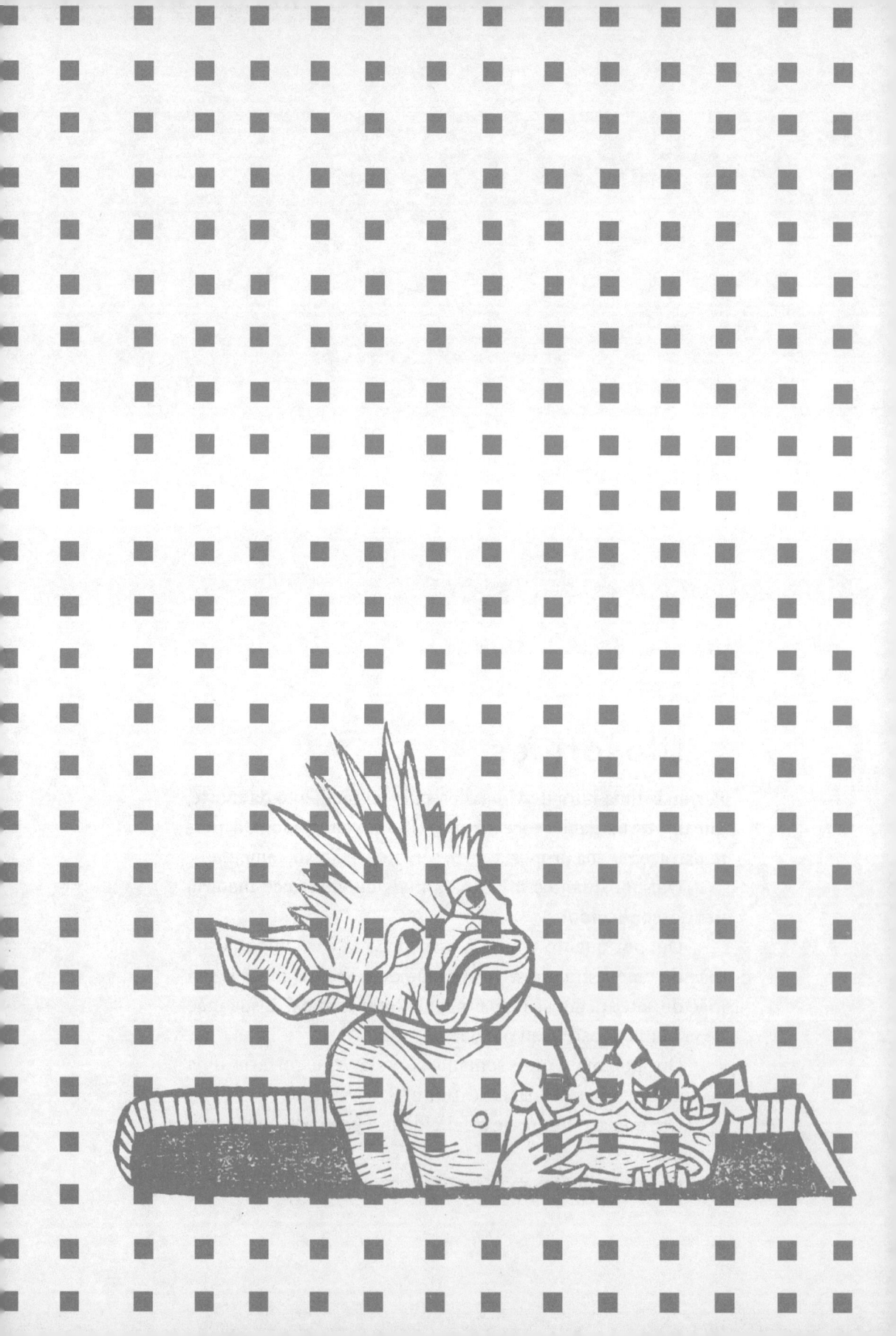

VII inquisitorial
(d'aprés José Carlos Capinam)

O que é uma editora? Uma sala vazia, um retrato na parede, um talão de cheques, uma cesta de lixo, uma agenda telefônica, uma garrafa de uísque, um diálogo interminável, uma revista de economia, uma central de fofocas, um altar ao dinheiro, um cemitério de talentos, uma coleção de fósseis?

O que é um editor? Um herdeiro perdulário, um plantador de abacaxis, um investigador de polícia, um comerciante pão-duro, um industrial selfimeide, um vendedor de amenidades, um pescador de botinas, um malandro inteligente, um mercenário bem vestido, um produtor de lugares-comuns, um contador de piadas, um jornalista aposentado?

O que é um livro? Uma resma de papel, uma mina de ouro, uma ambígua esperança, um desejo insatisfeito, uma punheta intelectual, um manancial de informações, um poço de tolices, um sonho realizado, um passo para a fama, um pulo no escuro, um tropeção na imortalidade, um suspiro de tédio, um brinquedo quebrado, um arrepio de frio?

O que é um escritor? Um saco sem fundo, uma casa de massagens, um jogador de pôquer, um senador da república, um acadêmico sonolento, um herói de proveta, um fabricante de ilusões, um representante do povo, um palhaço fracassado, um general derrotado, um senhor grisalho, um jovem promissor, um atirador de elite, uma peixe fora d'água?

O que é um leitor? Um par de óculos, um pagador de promessas, um estoico degenerado, um rosto na multidão, um saco de pancadas, um pau pra toda obra, uma vítima incauta, um tostão do meu milhão, um frequentador de resenhas, um fiel dos mais vendidos, um inocente útil, o coringa do meu baralho?

Cartas para a estética da recepção

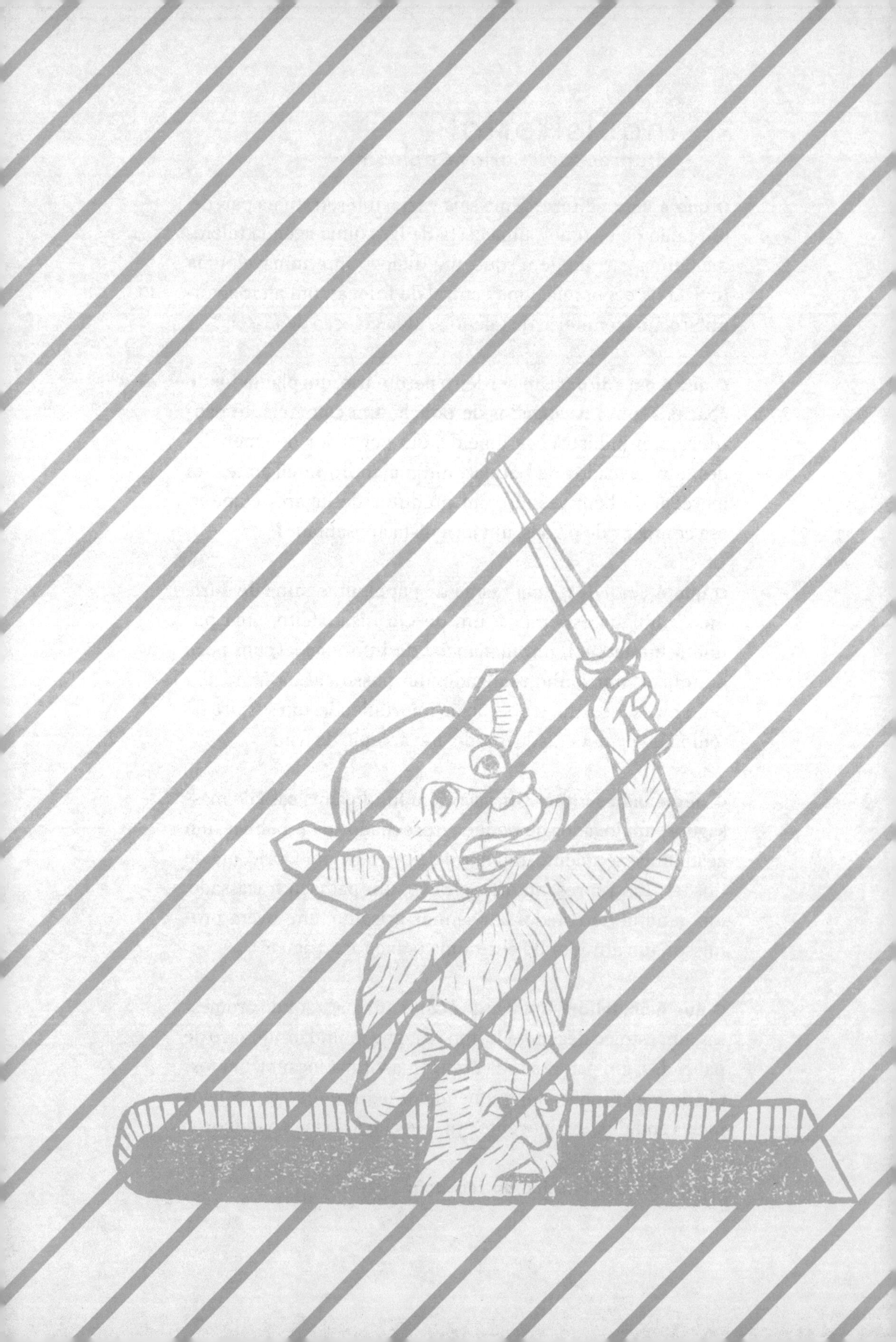

VIII tratado geral de epigonia

Proposição

A poesia tem importância quase nula na ordem das coisas, e tem menos ainda por culpa dos epígonos, que vivem às turras com outros epígonos. No entanto, incentivados por epígonos, muitos poetas se consideram responsáveis pelo movimento das galáxias.

Corolário

A poesia, poeticamente falando, é uma noite estrelada.

Demonstração

1 O poeta Fulano de Tal acredita que a *poiesis* (ou o fazer poético) é uma manifestação fundamental, não só do pensamento inteligente, mas da própria natureza humana. Assim como dependurar-se pelo rabo seria próprio da natureza macacal. Ou babar durante a ruminação seria intrínseco à natureza bovina.

2 O poeta Fulano de Tal se considera o maior poeta brasileiro e um dos maiores do mundo, em todos os tempos. Se ainda não ganhou o Nobel, culpem-se malévolos intrigantes internacionais. Aliás, Homero, Dante, Camões e Shakespeare também não ganharam.

3 Em consequência, o poeta Fulano de Tal se considera um dos maiores êxitos da espécie humana, em sua medianamente longa trajetória darwiniana.

4 No entanto, o poeta Fulano de Tal não pode sair por aí se exaltando. Imaginem Jesus Cristo, por exemplo, declarando no plenário da câmara: "Sou o Filho eleito de Deus!" Nem (e talvez principalmente) a bancada evangélica deixaria de rir às gargalhadas.

5 Mas o juízo humano é vago, e não se pode deixar ao acaso a proclamação da suprema genialidade do poeta Fulano de Tal.

6 É preciso, portanto, estimular ao máximo o proselitismo, e reprimir rigorosamente a contestação, bem de acordo com a máxima consagrada: "Aos nossos epígonos, tudo; aos prógronos alheios, nada".

7 Como a lei geral da epigonia afirma que "todo epígono é por natureza medíocre", o poeta Fulano de Tal nada deve temer do talento de seus epígonos.

8 Como nenhum epígono tem ideias próprias, deve o poeta Fulano de Tal estimular seus epígonos a escreverem de maneira epigonal, isto é, sempre elogiosa a ele, Fulano de Tal, e de modo a pensarem eles, os epígonos, que pensam.

9 Seria no entanto menor a glória do poeta Fulano de Tal se, como sugerido no parágrafo 6 (seis), seus opositores, naturalmente epígonos de outros prógonos, proclamassem a suprema progonia de seus prógonos contra a progonia de Fulano de Tal. A óbvia progonia de Fulano de Tal ficaria ofuscada, ou pelo menos chamuscada, diante das várias progonias

exaltadas por multidões de exaltados epígonos de outros prógonos.

10 É preciso, pois, massacrar impiedosamente toda e qualquer oposição à suprema progonia do poeta Fulano de Tal.

11 Por oposição ao poeta Fulano de Tal deve-se entender qualquer desvio da ortodoxia epigonal, desvio que deverá ser referido como "diluição", "formalismo", "beletrismo", "geleia geral", "conteudismo", "elitismo", ou ainda como "revisionismo" e "esquerdismo" e ou "reacionarismo" poético, conforme seja a tendência opositora ou – já que não se deve jamais dar asas a cobras – toda e qualquer suspeita de oposição epigonal em relação a Fulano de Tal.

12 Cabe aos epígonos, como missão principal, reproduzir incansável e interminavelmente os poemas de Fulano de Tal, em todos os veículos, meios e canais existentes, de modo a ofuscar pela repetição, convencer pela insistência e torná-lo genial pelo dejavismo.

13 Cada novo poema do poeta Fulano de Tal será, portanto, aclamado como obra inaugural, obra-prima absoluta e obra de mestre supremo, mesmo que não passe de simples obra, no sentido privadal.

14 Todo epígono que desobedecer às leis da epigonia será silenciado para sempre, sendo expulso do círculo epigônico do poeta Fulano de Tal, deixando de frequentar os meios de comunicação de que dispõe, as universidades em que pontifica e até as rodas socioliterárias que o bajulam.

15 Ser expulso da epigonia é pior do que morrer.

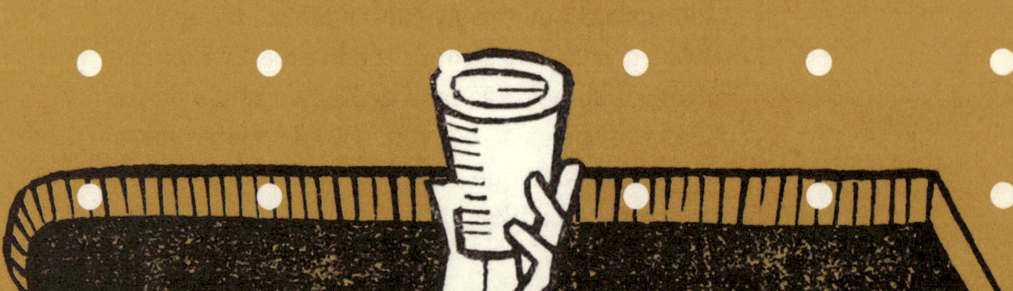

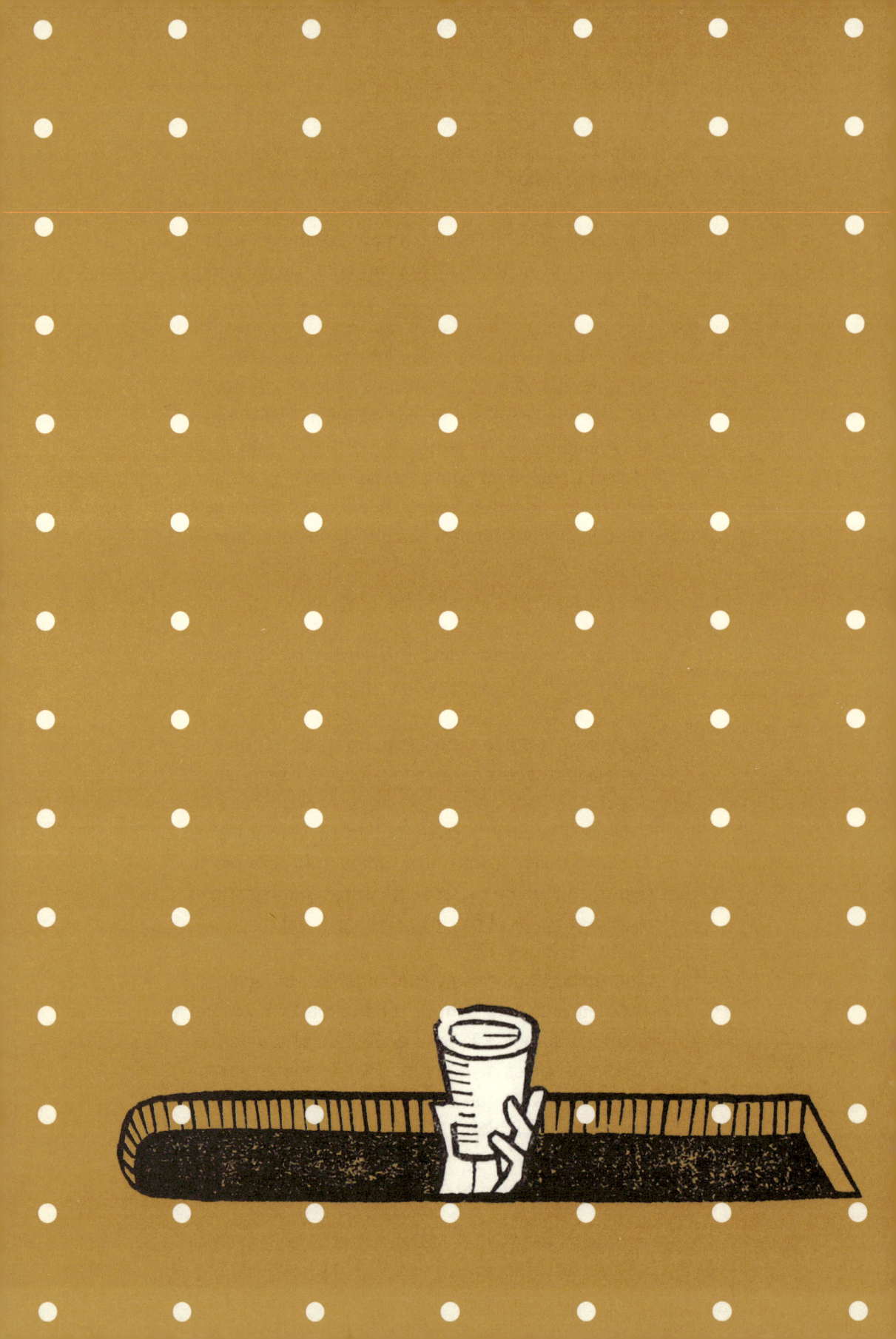

síndrome do pânico

a educação pelo pânico

Não por fulgurações, mas por palpitações, como se alguém subisse correndo a escada escorregadia de teus neurônios: ela, a morte, desesperadamente próxima.

O primeiro ataque acorreu num precário campo de aviação, e lá vinha ele, através de meu pai e sua espingarda cartucheira italiana de dois canos, mas não pensem que as coisas tenham uma sequência lógica. Não: tudo se atropela na maior desordem.

Então, como descrever o ataque e os processos de superposição de ondas, sempre mais e mais altas, todas te afogando, porque a primeira sustenta a segunda que sustenta a terceira que sustenta – e todas subindo umas nas costas das outras, e você só com o nariz de fora?

Mas tudo isso é literatura, senhora minha. Talvez seja possível quem sabe aproximar-se alguém do pânico da seguinte maneira:

De surpresa.

E tudo o que se pode fazer nessa aproximação é situar o primeiro ataque: nove anos, calça curta, pai caçando codorna, campo de aviação, quilômetros de capim alto, casinha aos pedaços e, de repente, a primeira onda, a primeira golfada como se o sangue, o medo pavoroso, o terror mais puro, lapidado como diamante coruscante pelos martelinhos sagrados de desespero.

Com as palavras quem puder explicar.

a educação pelo pânico

II

Lembrete para o segundo ataque, seis anos mais tarde: a professora de desenho morta de derrame depois do cinema de sábado à noite. No sábado seguinte a fulgurante punheta depois do cinema – e então ele entrou. Pelos poros, pelos olhos, pelo nariz. Absorvente na escuridão do quarto antigo de porta maciça e janelas maciças e assoalho maciço e telhado de telhas sem gretas onde fiapos de luz sumiam no breu.

a educação pelo pânico

III

Uma das estratégias mais bem-sucedidas do pânico é escolher um dia de ressaca, quando o corpo está fraco e a cabeça indecisa entre pensar o corpo ou pensar os sonhos. Ele então se aproveita, descobre uma brecha – e bem devagar se insinua, até que tua resistência esteja exangue moribundamente.

Uma pequena dor de barriga, um peso sobre os olhos, um leve adormecer no braço, tudo é pretexto. Se existe qualquer sentimento de culpa rondando a vítima (uma frase fora de hora, uma agressão anormal ontem de noite), um namoro fracassado, uma esperança desfeita), melhor ainda para o pânico: a vítima está perdida, como mocinha na rua deserta e o vampiro de Curitiba à espreita.

Mas se você está duplamente bem, cabeça clara e ombros largos, o pânico recua temeroso. Ou fica só rondando meio sem graça. Porque o pânico não é sutil nem delicado, mas ataca como um rinoceronte, de cabeça baixa, atropelando tudo, sua couraça forçando a guarda, e seus mil quilos de potência concentrada.

a educação pelo pânico

(IV)

Se o pânico te odeia?

Talvez sim. É possível que o pânico seja apenas o ódio que você tem por você mesmo, essa contraditória pendulagem, tudo no nível estritamente pessoal, direto, individual, porque o pânico é completamente individualista.

No fundo, o pânico não tem ideologia nem reconhece boas causas.

a educação pelo pânico

V

Um dos fatores de exarcebação do pânico é o fracasso. Como um vulcão, ele é latente, potencial, esperançoso. De concreto e imediato, a fragilidade da vida e a inesperada preponderância da morte.

(Todos os meus trabalhos fundamentais, para mim, é claro, tiveram coautoria do pânico e revisão da morte, a quem de público agradeço.)

Certa vez os ataques se sucederam até alcançarem a média de um por semana. Imagine só: toda semana, pelo menos um momento (a duração dos ataques varia entre alguns minutos e duas horas) de pavor absoluto, de solidão absoluta, de desespero absoluto, se alguém sabe que diabo é isso: absoluto. E depois pelo menos mais uma hora de cansaço absoluto, como se você tivesse esgotado todas as forças numa tarefa absurda. Ou absoluta.

Vene
randos
Dias ous
Passos
Dias
Aguiar

Proposição:

De modo geral e se posso expressar minha opinião sobre assunto tão delicado, todos esses homens de talento de segunda, terceira e quarta mão, que durante sua vida passam por quase gênios, desaparecem bruscamente, e sem deixar o mais leve traço, quando morrem.

    E, pior ainda, acontece muitas vezes que, mesmo vivos, logo que uma nova geração cresce e vem substituir aquela na qual conheceram tanto êxito, são esquecidos por todos num espaço de tempo incrivelmente curto.

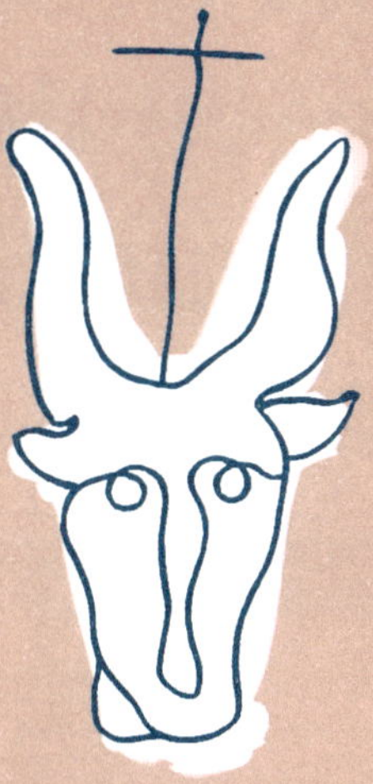

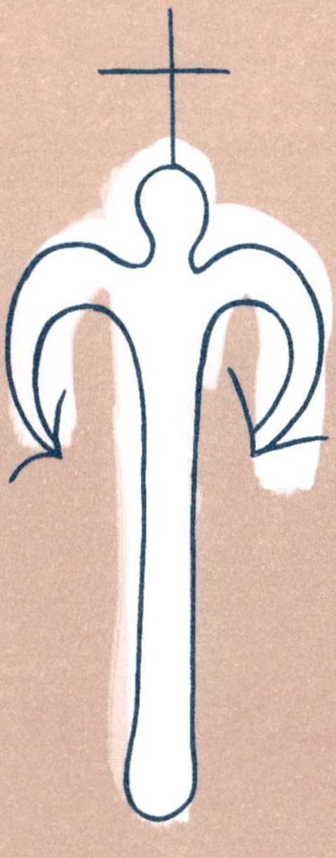

Isto se produz entre nós de uma maneira completamente súbita, sem que seja possível dizer o motivo, como certas mudanças de cenário no teatro.

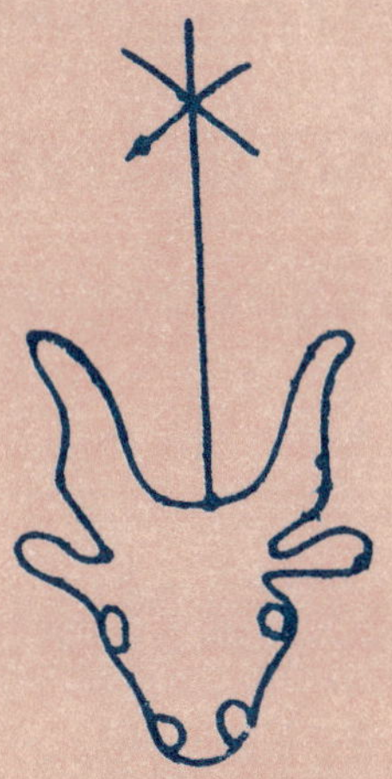

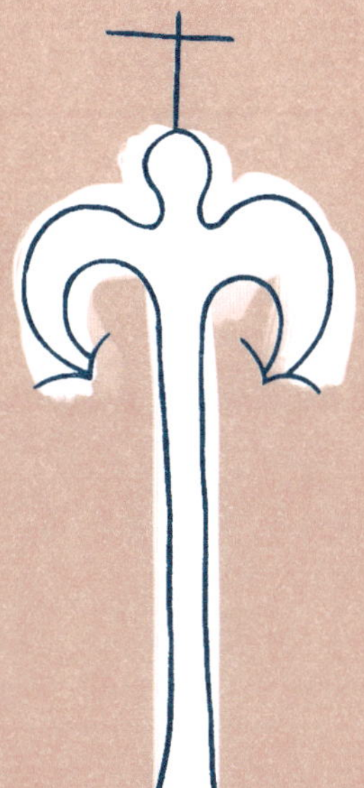

Mas, é claro, tudo se torna diferente com Fulano, Beltrano e Sicrano, todos esses grandes homens que tinham realmente alguma coisa nova e original a dizer.

Na verdade, aliás, esses homens dotados de certo talento de ordem média, no declínio de seus dias venerandos, sobrevivem habitualmente a si mesmos da maneira mais lastimável e sem que se deem conta disso.

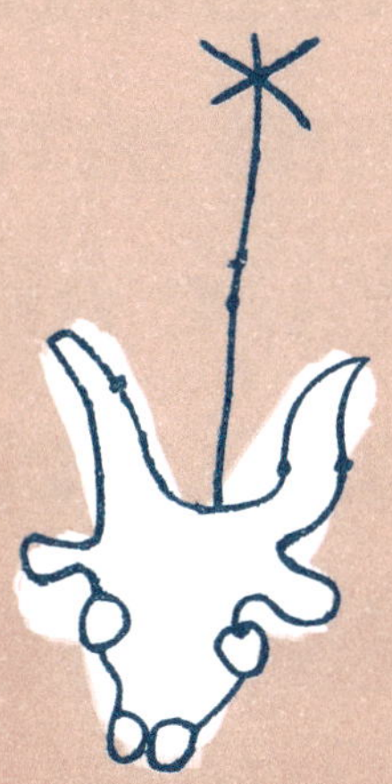

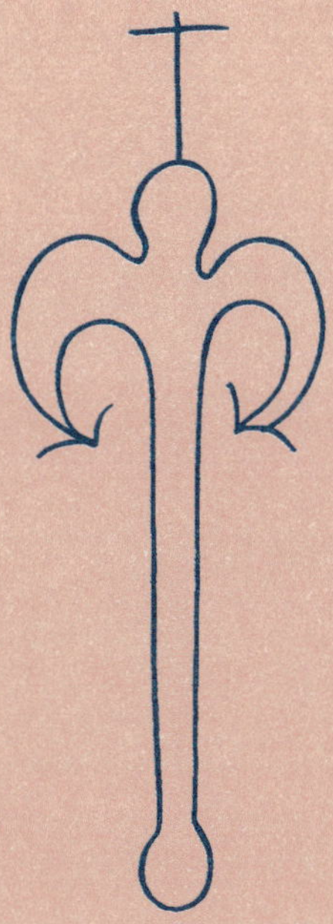

Acontece com muita frequência que um escritor, ao qual por muito tempo se atribuiu uma profundeza extraordinária, e que se esperava ver exercer uma grande e séria influência sobre o pensamento general da sociedade, acabe por trair nas suas ideias fundamentais tal miséria, tal insipidez, que ninguém lamenta que tenha ele chegado tão depressa ao fim de seus recursos.

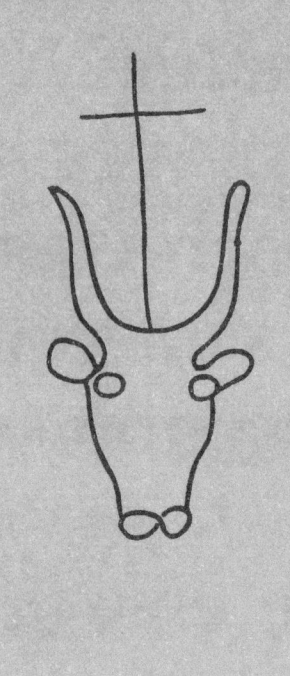

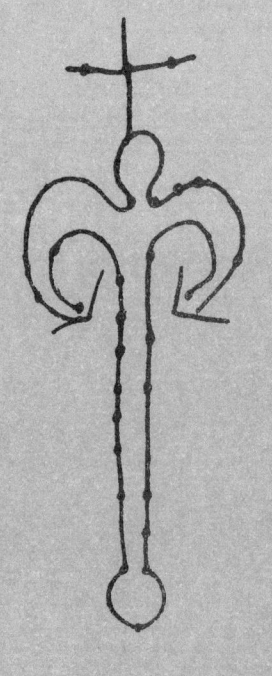

Mas as velhas barbas grisalhas não prestam atenção a isso e se zangam.

Por vezes, a vaidade desses artistelecos, principalmente no fim de suas carreiras, atinge proporções espantosérrimas.

Assim, só me resta dizer, para encerrar este insípido e suspeitosíssimo discurso: Requiescat in pace!

Adaptado de Dostoiévski, *Os Demônios*, in: *Obra Completa*, volume III, Aguilar, 1963.

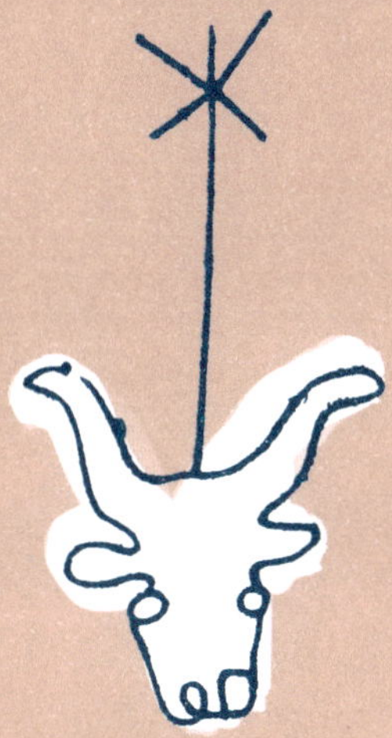

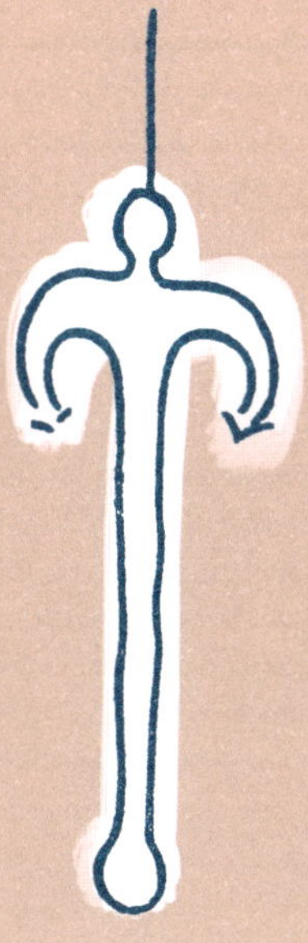

Copyright © 2019 by LOTE 42 para presente edição.
Copyright © by SEBASTIÃO NUNES.

Todas os direitos reservados. Nenhuma parte desta edição pode ser utilizada ou reproduzida nem apropriada ou estocada em sistema de banco de dados sem a expressa autorização da editora.

Texto fixado conforme as regras do novo Acordo Ortográfico da Língua Portuguesa (Decreto Legislativo nº 54, de 1995).

Edição geral JOÃO VARELA e CECILIA ARBOLAVE
Projeto gráfico GUSTAVO PIQUEIRA / CASA REX
Revisão TARCILA LUCENA / PALIMPSESTOS SERVIÇOS EDITORIAIS

1ª edição, 2019

Um Caso Liquidado: Memórias e Desvarios de um Poeta Inacabado é o livro nº 37 da Lote 42.

Dados Internacionais de Catalogação na Publicação (CIP) de acordo com ISBD

N972c   Nunes, Sebastião

Um caso liquidado: memórias e desvarios de um poeta inacabado / Sebastião Nunes ; ilustrado por Gustavo Piqueira. - São Paulo : Lote 42, 2019.
64 p. : il. ; 17cm x 24cm.

ISBN: 978-85-6674-040-0

1. Literatura brasileira. 2. Ensaio. 3. Memória. 4. Literatura. 5. Sociologia. I. Piqueira, Gustavo. II. Título.

	CDD 869.8992
2018-1804	CDU 821.134.3(81)

Elaborado por Vagner Rodolfo da Silva - CRB-8/9410

As ilustrações deste livro tomaram como matéria prima antigas gravuras, algumas retiradas de antigos *xylographica* de início do século XV (livros onde o texto e a ilustração eram gravados numa única matriz de madeira), outras de ilustrações e marcações gráficas do período inicial da produção com tipos móveis, a segunda metade do século XV conhecida como o período dos incunábulos.

Um Caso Liquidado foi produzido no verão de 2019 pela Pancrom Indústria Gráfica. A primeira parte está composta em Cera Pro e Mercury e impresso em papel off-white 90 g/m². A segunda, está composta em ATC Rosemary e Mercury e impressa em papel couché fosco 115 g/m². E, a terceira parte, em Caslon Graphique D e Mercury e impressa em papel offset 120 g/m².

LOTE 42
Rua Barão de Tatuí, 302   sala 42
São Paulo, SP   01226-030
lote42.com.br